亲爱的鼠迷朋友，

欢迎来到老鼠世界！

杰罗尼摩·斯蒂顿

Geronimo Stilton

《鼠民公报》编辑部

Text by Geronimo Stilton.
Based on an original idea by Elisabetta Dami.
Original cover by Giuseppe Ferrario.
Illustrations by WASABI! Studio and Christian Aliprandi.
Graphics by Yuko Egusa.

Original title: IL TESORO DELLE COLLINE NERE

www.geronimostilton.com

版权合同登记号 14-2009-026

图书在版编目（CIP）数据

黑山寻宝 /（意）斯蒂顿著；邓婷译.

-- 南昌：二十一世纪出版社，2015.8

（老鼠记者；56）

ISBN 978-7-5568-0959-2

Ⅰ.①黑… Ⅱ.①斯… ②邓… Ⅲ.①儿童文学－中篇小说－意大利－现代 Ⅳ.① I546.84

中国版本图书馆 CIP 数据核字 (2015) 第 136028 号

黑山寻宝 [意] 杰罗尼摩·斯蒂顿 著 邓 婷 译

出版人 **总策划**	张秋林	**开本**	820mm × 1250mm 1/32
		印张	4
责任编辑	闵 蓉 黄 震	**版次**	2015 年 8 月 第 1 版
出版发行	二十一世纪出版社集团	**印次**	2016 年 4 月 第 2 次印刷
	（江西省南昌市子安路 75 号 330025）	**印数**	50，001-56，000 册
	www.21cccc.com cc21@163.net	**书号**	ISBN 978-7-5568-0959-2
承印	江西华奥印务有限责任公司	**定价**	14.00 元

赣版权登字 -04-2015-419

黑山寻宝

[意]杰罗尼摩·斯蒂顿/著
Geronimo Stilton

邓　婷/译

目录

巍威·野性鼠

考古学家，探险爱好者

艾拿

杰罗尼摩的朋友

柏蒂·活力鼠

电视台记者，环保主义者

尖嗓·尖叫鼠

观光鼠旅行社职员

一个休闲假期！

原本已经**敲定行程**，一切早已**准备就绪**……

我精心安排好一切，那本该是个非常非常**悠闲**的假期，也会是我第一次过一个**真正意义**上的假期，自从……连我自己也不记得从何时起，就再也不曾享受过轻松又休闲的假期了！

是啊，我就属于那种忙碌族，准确地说是忙碌鼠。认识我的鼠都知道，我热爱自己的工作，尽管有时候工作压力非常非常大。

我从事什么工作？

对哦，不好意思，我还没有自我介绍呢！我叫斯蒂顿，杰罗尼摩·斯蒂顿，我经营着老鼠岛上最有名气的报纸——《鼠民公报》。

言归正传，我刚刚说什么来着？

啊，想起来了！我正要给你们讲述我那次本应该很休闲的假期，但是……但是什么，你们听我说下去吧，一会儿就知道了。

一天，我来到我十分信赖的观光鼠旅行社，让尖嗓·尖叫鼠女士为我推荐旅游路线。于是她一边翻看旅游指南，一边对着我的耳

斯蒂顿先生！

朵尖叫（她之所以名叫尖嗓，显而易见，因为她总是尖叫）。

“斯蒂顿先生，您想要哪一类的旅行呢？去喜马拉雅山登山如何？或是享受一次纳米比亚沙漠之旅，您可以去那里看狮子！”

我立刻打断她：“可是，我真的只想度过一个休闲的假期。”

她尖声叫道：“斯蒂顿先生，我了解您！您需要那种宅鼠的懒散假期……”

我满脸通红，说：“不是啦，我只是说我想要度过一个休闲的假期……”

她一脸坏笑，“仅仅是休闲这么简单？不用担心，我来安排！”

她爬上一张凳子，从书柜的顶部拿下一个布满灰尘的大盒子。盒子上贴着一个标签：

专为宅鼠设计的休闲假期。

我反驳道：“我不是宅鼠。”

“别说谎啦，斯蒂顿先生，我还不了解你吗？我们都认识这么久了。再说，身为宅鼠，也没什么好难为情的……”

她钻进那个布满灰尘的大盒子，在里面东翻西找，然后得意扬扬地挥舞着一本旅游指南钻了出来，旅游指南上写着：美国腹地，黑山之旅*。

*我之前已经去过黑山，那是《湖水消失之谜》一书的背景地点。

指南中配有不少风景照，绿意盎然的树林、风光秀美的湖泊、湛蓝清澈的天空……但是我的注意力却偏偏集中在一张金梦酒店的照片上。这就是我心中理想的超级休闲度假之地。

我嘀咕道："休闲？我喜欢这个词！麻烦你帮我预订往返美国的机票，并且在金梦酒店订 15 天房。"

她又开始尖叫，粉红色小眼镜后的眼睛眯成一条缝，"您看，我刚才就说嘛，您是名副其实的宅鼠啦！不过，无论如何，既然您是这儿的老主顾，我会赠送给您一份特别的大礼，将您的经济舱免费升级为头等舱！"

然后，她又递给我那本旅游指南，对着我的耳朵尖叫道："您看，黑山上有许多

住宿

金梦酒店
超级休闲假期之首选

这是一家坐落于景致优美的黑山，可让您充分放松和休息的酒店。

酒店设施完备，有宽敞的房间、配备躺椅的露台、桑拿房、恒温游泳池……

专为需要超级休闲假期的旅客设计！

黑山景点

拉什莫尔山

美国的象征之一。山顶雕刻有美国历史上四位著名总统的头像，分别是：乔治·华盛顿、托马斯·杰斐逊、西奥多·罗斯福和亚伯拉罕·林肯。

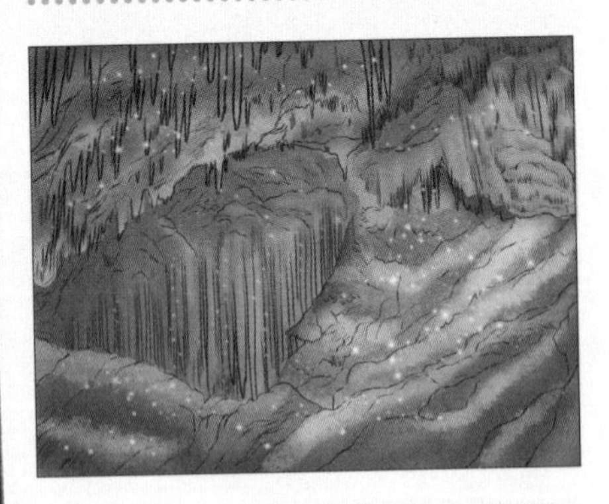

宝石洞窟

宝石洞窟，世界排名第三深的洞窟，由多种岩质构成，景观十分奇特，适合挑战自我的游客徒步远足游。

美洲野牛

在该地区，可以看到成群的美洲野牛。印第安原住民拉科塔人视之为神圣的动物。

魔鬼塔

这是一块傲然矗立的独石柱（也就是一整块巨石），从底部算起有206米高，高出海平面1534米。古老的拉科塔人称其为熊塔。

哈尼峰

哈尼峰是南达科他州的最高峰（2207米），山顶有一座小小的瞭望塔。

风景名胜值得参观。到时候，说不定您就不想做什么宅鼠了。”

“谢谢，不过我哪儿也不想去，我只想**休闲休闲**。”

我满意地离开旅行社，**轻松**地哼着曲子：“啦啦啦，啦啦啦！休闲的假期，让我休闲休闲！啦啦啦，啦啦啦！头等舱旅行，让我高兴高兴！”

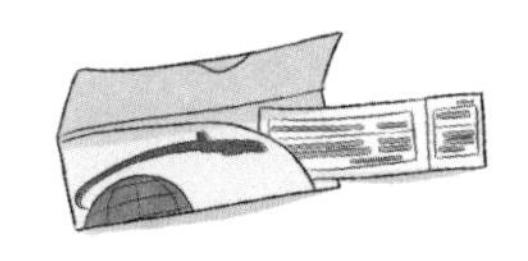

吝啬鬼航空

出发的当天早晨，我搭乘计程车前往**机场**。

我简直不敢相信，我终于要去度假了。这将是一次**真正的假期**，而且还是坐头等舱，免费的！

我前往顶鼠航空公司的 check-in* 柜台，准备办理登机手续，沿途需要走过一条红地毯，真的就是 **VIP**（贵宾）的待遇啊！

我身旁那些在其他柜台排队的老鼠们**好奇**地窃窃私语着。

“你看到了吗？”

“他是 VIP 哦。”

**check-in：办理登机手续。在登机之前，旅客需要在登机柜台办理登机牌并托运行李。*

“是*杰罗尼摩·斯蒂顿*，他坐头等舱旅行哦！”

柜台的工作鼠拿着我的**身份证**，开始噼里啪啦地敲击键盘，然后越来越**困惑**地看着我。过了一会儿，她对我尖声说：“斯蒂顿先生，这里**没有任何**信息显示您购买了头等舱机票！”

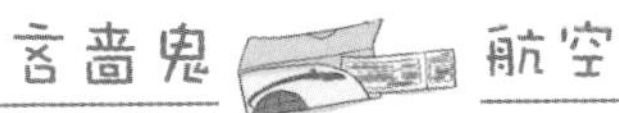

我**反驳**道："怎么可能？我是让**观光鼠旅行社**预订的航班。"

"您的预订被**取消**了。"

我垂头丧气地正要离开，工作鼠又尖声说道："斯蒂顿先生，稍等片刻！有鼠在这里给您留下一张机票，是最廉价的航空公司——**吝啬鬼航空**公司的机票。"

我接过机票。机票居然是用一张旧包装纸制成的！

我垂头丧气地离开VIP柜台，大家都在窃窃私语："那是斯蒂顿，杰罗尼摩·斯蒂顿！"

"原来他搭乘的是吝啬鬼航空的飞机！"

"**真是只吝啬鼠！**"

"谁会想到他竟是这种鼠呢？"

我拖着行李箱，朝检票口跑去，心里不断在想：到底是谁取消了我预订的机票呢？

谁？

谁？？

谁？？？

欢迎登机！

我登上飞机，朝着我的座位径直走去。我的邻座是一位头戴**牛仔**帽的旅客，帽子遮住了他的脸。

我坐下后，努力让自己平静下来。

我认为最重要的是能顺利**出发**。

只要我能顺利抵达目的地，就可以享受我的休闲假期了。但是，在那一刻，飞机开始摇摆，并伴随着恐怖的噪音。

这样也能起飞吗？

吝啬鬼航空公司飞机的内部条件极其恶劣：座椅各式各样，弹簧露在外面，椅套破破烂烂，靠背不能倾斜放倒，小桌板打不开，窗户脏兮兮的。

座椅下没有救生衣，只有一个空盒子，上面写着：你们不是想省钱吗？自作自受！万一碰上意外事故，你们就自己想办法吧！

我想看看机上有没配备呕吐袋，因为我晕机。竟然没有！放呕吐袋的地方只有一张字条，上面写着：你们不是想省钱吗？自作自受！万一要呕吐，你们就自己想办法吧！

那根本就不是一架飞机，简直就是一个长着翅膀的**垃圾筒**！

我本想提出抗议，但就在那时，走过来一名凶神恶煞般的空姐。她又高又壮，像一个大衣柜，两只手像两把铁锹。“您想抱怨吗？！”

我喃喃地说：“不会不会，非常好，好极了！”

她冷笑道：“这样最好，您不是想省钱吗？**自作自受！**”

但是，其他乘客好像一点都不担心，不仅如此，他们居然都在打瞌睡！

一待飞机起飞，我邻座的乘客就摘下帽子，尖叫道：“Surprise！”

是我的表弟赖皮！

随即，其他六名乘客也摘下帽子，尖叫道：“Surprise！”

是菲、柏蒂、潘朵拉、本杰明、马克斯爷爷和艾拿。

我惊讶地看着他们，问道：

“你们在这里做什么？”

赖皮窃笑道：“你喜欢这个惊喜吗，表哥？这都是**我**安排的！当我得知你仅仅是要去度

一个小小的休闲假期后，我就取消了你的预订，然后为我们大家重新预订了机票（自然是花你的钱）。所以，我们就在这里啦！你开心吗，表哥？不过，先不要感谢我，惊喜还没有结束呢！”

然后，他压低声音说：“其实，我俩要去参加一次绝密探险，我们要去黑山寻宝！不过你千万不要告诉其他鼠！”

摇滚乐舞动时间！

我气得说不出话来，缓过神之后才开口嘟囔着说："你你你……居然……"

我还没来得及让他解释清楚，空姐就打断了我，冲着我嚷道："快别嘀嘀咕咕了，赶紧坐下！现在是摇滚乐舞动时间！"

我原以为她在开玩笑，可是飞机真的开始上下颠簸。

上 下 上 下 上 下 上 下

上 下 上 下 上 下

上 下 上 下 上 下 上 下

我顿时一阵恶心，忘记去问黑山的宝藏究竟是**什么**，为什么赖皮不想告诉其他鼠！

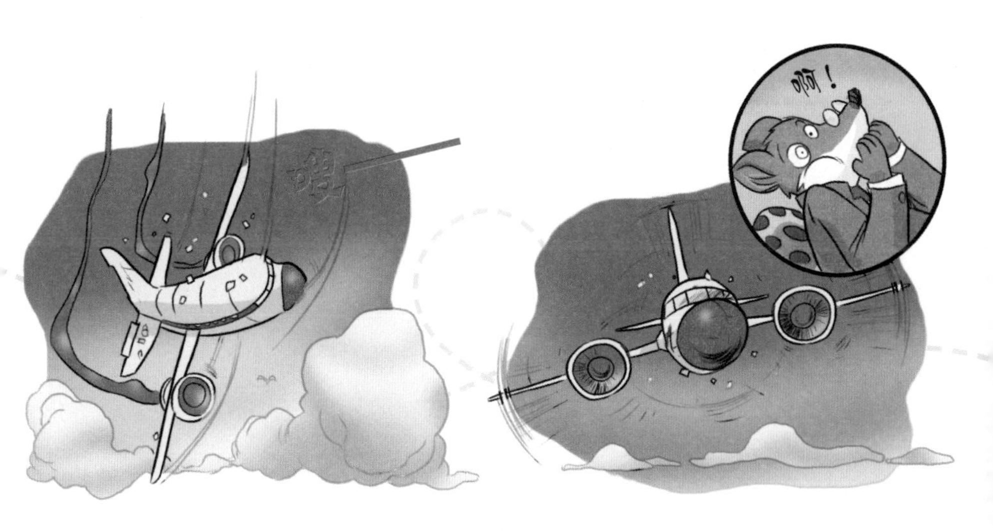

可是赖皮一点也不晕机，他正聚精会神地翻阅着飞机上的产品目录，上面都是些奇奇怪怪的邮购产品信息。

我好担心。
唉，谁知道
我这个表弟又在搞什么名堂？

好啦，出发！

那真是一段心惊肉跳的旅程。好在第二天清晨，我们全部**安然无恙**地抵达美国南达科他州的拉皮德城机场，我们将从那里开始黑山之旅。我一下飞机，便**长舒**了一口气，“我们还活着，我们还活着！”

然后，我欣慰地亲吻了一下大地。

大家全部转过身来，摇着脑袋看着我。有鼠说："白痴！"

然而，我根本不在乎，我实在太开心了！

既然我能从那次飞行中幸存下来，我就一定可以在所有灾难中幸存。即便要和表弟赖皮一起度过假期，也一定会大难不死！

我发现我的旅伴们都在忙碌着。大家一起旅行就是好，因为每只鼠都可以发挥自己的作用，分担不同的任务。我的任务是

去租车（自然是花我的钱）。

站在柜台后面的租车行员工将我从思绪中拉回现实，“您是斯蒂顿，**杰罗尼摩·斯蒂顿？**”

“是的，是我。”

“请您出示信用卡。”

我将我的**顶鼠卡**递给他。他在刷卡机上刷了几下之后，说：“不好意思，金额不足！您还有别的卡吗？”

我递给他顶鼠超级金卡。

他摇着头说："这张也不够支付账单！"

我拿出钱包，将所有的信用卡全部摊在他面前，"拿着，全部都给您好了！"

租车行的员工一张接着一张地刷，打印了厚厚一沓收据要我签字。天哪，这么多钱，别说一次，十次宅鼠的休闲假期也足够用了！

赖皮走到我身边，手里还在翻着飞机上的邮购产品目录。

他拿着手机忙忙碌碌，还不时盯着我看。

我好担心。唉，谁知道我这个表弟又在搞什么名堂？

就在这时，租车行的员工把我的钱包还给我，一不小心，所有的信用卡都掉在地上了。赖皮帮我把卡捡起来，但是我感到他在窃笑。捡完卡后，他又立刻拿起**手机**和邮购产品目录忙起来。

我好担心。唉，谁知道我这个表弟又在搞什么名堂？

但是，我根本没有时间去想这些，因为他已经跑走了，并喊道：

好啦，出发！
好大的旅行车！

我们租了：

1 辆超大旅行车

配备空调系统、电动车窗、导航系统、中控门锁防盗系统。

1 辆鼠雷·鼠维森摩托车

三座式边三轮摩托，适合辛苦的长途旅行。

8 辆山地车

铝制材料，实用坚固。

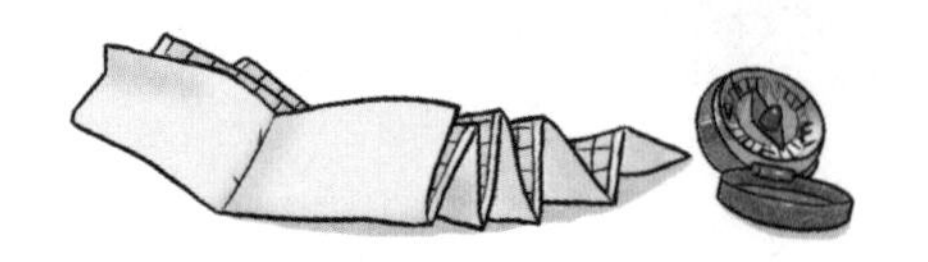

拜托，不要再搞什么惊喜了！

出发之前，我们享用了一顿丰盛的**美式**早餐：煎鸡蛋配熏肉、炸薯饼、甜甜圈、橙汁……**啧啧！**

放好行李后，全体成员钻进**超大旅行车**。但不包括我和赖皮，因为他坚持要为我

俩租一辆**鼠雷·鼠维森摩托车**！他强迫我上车，并让我穿上滑稽的带**流苏边**的皮夹克，脖子裹上一条绿色围巾，上面还写着：

“我爱鼠雷·鼠维森摩托车！”

马克斯爷爷从车窗探出头，喊道：

“斯蒂顿家族，出发！！！”

集合地点在拉什莫尔山，谁最后抵达，谁请大家吃午餐！

旅行车以不可思议的速度**冲**向前方（这款车采用**极速超级涡轮**发动机，它之所以这么贵，原因就在于此）。

赖皮**发动**摩托车，玩了个前轮离地，摩

托车“嗖”的一声急驰而出，我的胃一下跳到扁桃体处，一下又坠入膝盖。

我大声尖叫，脸绿得像一块坏了的酸奶奶酪。

“啊——你慢点！！！”

当我们开着那辆摩托车全速急驰时，我突然想起一件重要的事情：赖皮在飞机上好像跟我说过一个宝藏！

于是，我问表弟：“赖皮，那个……你之前在飞机上跟我说的是什么？”

他压低声音，神秘兮兮地说：“听好了，这次我们全家出来度假只是为了掩鼠耳目，其实，我和你是要去黑山寻宝！但是，你得记住，千万不要和其他鼠说起宝藏的事！”

我满腹狐疑地问：“为什么？难道你不想和其他鼠分享宝藏？”

他赶紧胡乱编出一个借口：“呃……是因为……我们不可以全体去寻找宝藏，因为太惹眼啦！”

我不同意他的说法，我要趁大家都在场的时候，坦白、诚实、真诚地告诉大家，与大家一同分享宝藏！

我又问赖皮：“既然你说有宝藏，那最起码要有张藏宝图吧？”

“我们可远远不止有这个，表哥！我们有地图，还有一位专家。哈哈，回头我再介绍给你，他一定是个惊喜！”

每次我的表弟为我准备的惊喜，对我而言都是灾祸。我在摩托车上一边颠簸一边尖叫："还有惊喜啊?！拜托，不要再搞什么惊喜了！赶紧停车！"

我真想马上下车！

正当旅行车沿着主干道前行的时候，赖皮骑着摩托车突然驶入侧边一条小路，钻进**树林**深处。他尖声说："你刚刚说,你想下车?就照你说的办！"

然后，他一个急刹车，**吱！！！**

我从摩托车上摔下来，在空中做了一次特技飞行，连翻三个筋斗！

我翻滚在地上，一路撞了好几下后脑勺，又接连撞了几下屁股，最后我的脸撞在一个巨大的篮子上。篮子用粗缆绳拴在地上，上面还系着重物。

我揉着后脑勺，脱掉已经磨得破烂不堪的皮夹克，抗议道："我是说想下车，但没说要这么急！"

赖皮上气不接下气地说："好啦，表哥！是你说立刻停车的，我不过是照你的意思办罢了。"

我这才抬起头，朝上面看去，只见空中飘着一个大气球。

是一个热气球！

热气球上写着两个字母：**W.W.**。

赖皮满心欢喜地尖叫道："你喜欢这个惊喜吗，表哥？你看见那儿写着 W.W. 了吗？你一点都不记得了吗？咦，不会吧？我就记得，我是天才，我知道！总之，那个热气球上有妙鼠城最伟大的考古学家！你知道是谁了吗？"

那个热气球上有妙鼠城最伟大的考古学家！
咦？

你准备好探险了吗？

直到那一刻，我才注意到热气球上有一只**高大**的**运动型**的鼠。他有一双深邃的蓝眼睛和一抹富有魅力的笑容，他身穿马甲和**卡其色**衬衫，不过最吸引我眼球的还是那一顶探险者戴的宽边帽。

看到那顶帽子，我立刻认出他是谁了！因为妙鼠城里，那样的鼠仅此一只：**勃威·野性鼠！**

你们认识他吗？不认识！那真是遗憾，因为他真的是一只**出类拔萃**的鼠！我早就认识他了，他是艾拿的朋友，他们经常一起旅行，一起追寻失落文明的宝藏。

魏威・野性鼠！

☆ **他是谁**：考古学家，探险爱好者，被称为“宝藏猎手”。但是他对珍宝不感兴趣，而是将寻获的所有考古珍宝捐赠给妙鼠城博物馆。

☆ **他的口头禅**：“你准备好探险了吗？”如果哪个倒霉蛋回答“是”，那么他的口头禅还会加上一句：“那么探险去吧！”

☆ **他的梦想**：所有鼠能够净化自己的心灵，让世界变成充满和平、友爱和尊重的世界。

☆ **他的秘密**：在他贴近胸口的口袋里，放着女朋友的照片。

☆ **他的爱好**：学习古老的语言（比如古埃及语、伊特拉斯坎语和玛雅语），参加各种体育运动（从空手道到登山样样精通）。

他嘴角扬着微笑，低声说：

“斯蒂顿，你准备好探险了吗？”

我有点语无伦次：“我？探险？什么意思啊？或许没有，应该没有，绝对没有……”

巍威·野性鼠捋着胡子，**审视**着我说：“说实话，我也奇怪呢，像你这样的鼠，怎么会选择这样的**度假**方式呢？我好像记得，斯蒂顿，你应该是只宅鼠才对，你是只要游泳池、躺椅和自助餐的一类鼠！”

听到这一番话，我满脸涨得通红，赶紧将介绍金梦酒店的那本旅游指南藏进口袋，不过它还是**露出**了一角。

那一刻，就在那一刻，我

一个不留神；也就在那一刻，刚好在那一刻，赖皮趁机**绊了我一脚**。

于是，我径直跌坐进那个大热气球的吊篮里！

我想在吊篮里的一堆行李和食物中站起身，但是巍威·野性鼠已经松开绑在地上的缆绳，大声喊道："**那么探险去吧！**"

热气球慢慢升上天空。我探出脑袋，发现自己离地面越来越远，心慌意乱地大叫起来："**我要下去！**"

巍威·野性鼠的胡子在风中颤动，"太迟啦！你暂时下不去了。不过你一定会喜欢这次旅行的，我巍威·野性鼠向你保证！"

我从恐惧中慢慢平复心情后，问道："**够了**，赖皮，你给我解释清楚，关于**宝藏**，究竟是怎么一回事？”

赖皮把一只手爪伸进衬衫，从里面掏出一张看起来非常古老的纸，举在我的面前。

我的第一反应是好臭的鱼腥味！呃！甚至连苍蝇都飞过来围着纸打转！

藏宝图
欲获宝藏，
老父之眼。
求宝心切，
莫忘眼镜！
从这里，地图被
撕掉了一截……

那是一张**皱巴巴**的**残破不全**的纸条，有一小块文字被撕掉了。

“对不起，赖皮，你能告诉我为什么地图上会有鱼腥味吗？”

“因为这是我在妙鼠城码头找到的。有鼠把地图扔在一个塞满**鱼骨**的垃圾筒里……”

我捏着鼻子，拿起地图，大声读出上面的文字：

欲获宝藏，
老父之眼。
求宝心切，
莫忘眼镜！

巍威·野性鼠冷笑一声，**指着**热气球外的正下方，说：“我们得从那里找起，从美国

乔治·华盛顿
杰罗尼摩·斯蒂顿和他的
探险伙伴们

拉什莫尔山

拉什莫尔山国家纪念公园，俗称美国总统山，位于美国南达科他州的黑山，山上有一组巨型雕塑。公园内的四座美国前总统雕塑由格曾·博格勒姆于 1927 ~ 1941 年期间完成，从左到右分别为：乔治·华盛顿、托马斯·杰斐逊、西奥多·罗斯福和亚伯拉罕·林肯。

总统罗斯福的眼睛那儿找起，他是唯一一位戴着眼镜的总统。”

我从吊篮里向外张望，差点没晕过去，我们正处在拉什莫尔山的上空！

我用手爪拍拍脑袋，怎么我刚才没反应过来呢？老父就是指美国总统呀！巍威·野性鼠果然是个天才呢！到了这个地步，我只好问：“那好吧！可是，谁去呢？”

巍威·野性鼠胡子一扬，用他的蓝眼睛盯着我说：“斯蒂顿，我是肌肉型，赖皮是肥胖型，我们三个当中，就数你体重最轻。所以，交给你了！你准备好探险了吗，斯蒂顿？”

我尖声叫道：“我不过是想要一个休闲假期而已！”

我被挂在一根绳索上，在半空中左右摇

我被挂在一根绳索上，
在半空中左右摇摆。
杰罗尼摩·斯蒂顿
那个傻瓜！

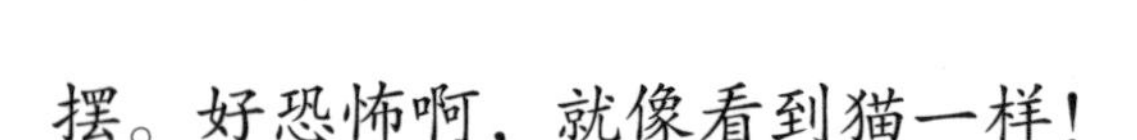

摆。好恐怖啊，就像看到猫一样！

我的面前就是历任美国总统的巨大面庞：乔治·华盛顿、托马斯·杰斐逊、西奥多·罗斯福和亚伯拉罕·林肯。

我在近处根本无从辨认，他们的眼睛硕大无比，像一个个**大洞穴**。

有那么一瞬间，我又走神了。我在想为了雕刻这些头像，无数工匠付出了14年的辛苦劳动！真是**不可思议**的浩大工程啊！

然后，我认出了西奥多·罗斯福的巨大轮廓，因为我看见他戴着眼镜！

地图上说的就是**他**！

我朝着高空大声喊道："我找到了！可是，我怎样才能刚好跳到总统的眼睛上呢？我可不想把自己**撞碎**在岩石上！"

巍威·野性鼠从热气球里探出身子说:“尽可能地用力摇摆！如果有**危险**，我们会猛拉三下绳子提醒你。别担心！”

我就按照他告诉我的方法去做，

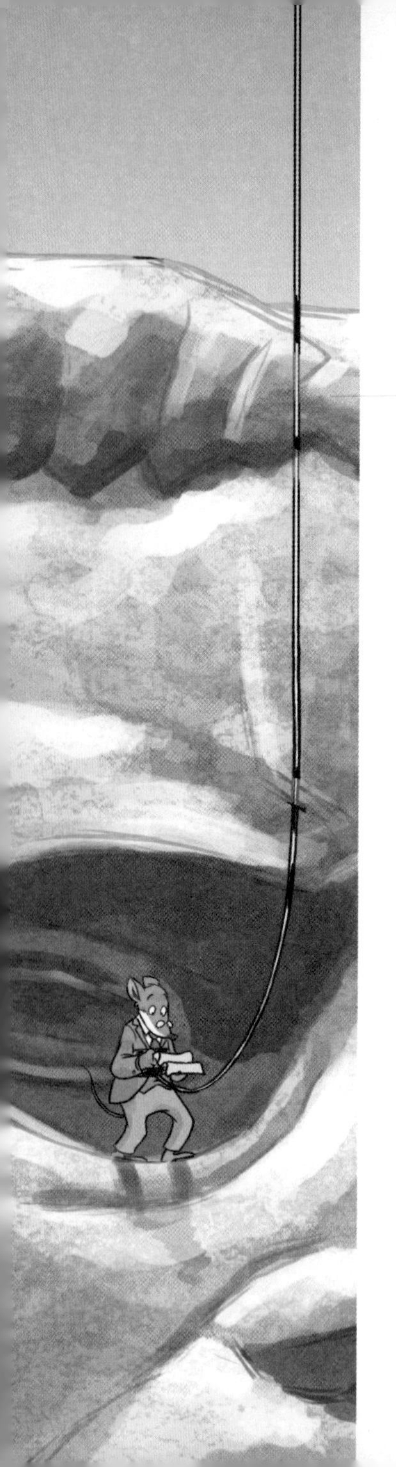

真是一次可怕的经历！

我以为我早晚会撞碎在花岗**岩石**上，然而，最后一次摇摆刚好把我甩进罗斯福总统的**眼睛**里：那是一个如同洞穴一样巨大的凹槽！

我在一个角落里找到一张**羊皮纸**卷轴，上面写着：珠宝非穿戴，莫如留地心。

最后一个到的买单！

突然，绳子猛晃了三下。发生什么事了？我从总统的眼睛里走出来，随即感到有东西在用力拉我……我发现自己又悬在半空中，吊在热气球下！

我的下面有一群老鼠在指着我尖叫。他们当中有柏蒂和菲。

“你们看那边！”

“那个穿绿衣服的老鼠是谁啊？”

“说不定是哪位知名演员呢！”

“可我觉得那不过是一个傻瓜！”

就在那时，菲尖叫道：“好像是啫喱！”

而柏蒂说：“不可能，他有恐高症！”

就在那时，赖皮说服巍威·野性鼠在我们扔下摩托车的偏僻空地上着陆，以避开众鼠好奇的目光。同时，他还可以慢慢研究那张神秘的羊皮纸，而不让其他鼠发现。

谁知道是什么意思呢？

这是羊皮纸上面写的神秘信息

珠宝非穿戴，
莫如留地心。

赖皮拿着羊皮纸，举起来对着光，观察了好一会儿，想找出其中隐藏的线索。

而巍威·野性鼠捋着一根胡子独自思忖，自言自语道："嗯……地心……珠宝……"

然后他对我说："斯蒂顿，给我看看你的旅游指南。"

我把尖叫鼠女士给我的旅游指南递给他。他翻看着，说："我找到了，弟兄们，我们要去的地方在这里，宝石洞窟！"

我眼前一亮："对哦，宝石洞窟，因为它像珠宝一样闪亮！"

赖皮讥笑道："真聪明，表哥！只要你用心，也可以变得很聪明嘛！"

我正要**发脾气**，但是巍威·野性鼠坚定地说：“**我们走吧，**斯蒂顿，探险之旅在等着我们，那才是有意义的事情！”

巍威·野性鼠平时少言寡语，可是他所说的话总是**掷地有声！**

于是我听了他的话，不再计较。

巍威·野性鼠和赖皮跨上摩托车，我也跟着坐在旁边。我们出发了，**“呼哧”一声**，全速向拉什莫尔山**进发**。

对，就是拉什莫尔山，就是我被吊在热气球下，留下**傻瓜形象**的地方。我喃喃地自言自语：“希望**没有鼠**认出我。”

但是我们一到拉什莫尔山的停车场，所有在场的鼠就坏笑着对我指指点点地说：

真是个迟到大王！
好丢脸，哥哥！
我没想到你也会这样！
呃，对不起大家，我迟到了！
杰罗尼摩，这样可不……
我们饿了！
孙儿！

“你们看到了吗？他好像那个挂在热气球下的**傻瓜鼠**哦！”

我尴尬得**满脸通红**！

马克斯爷爷、艾拿、柏蒂、菲、本杰明和潘朵拉已经在那里等了我们好几个小时，他们早就**不耐烦**了！

柏蒂板着脸看着我说：“杰罗尼摩，我没想到你也会这样！”

菲尖声说：“**好丢脸**，哥哥！”

马克斯爷爷吼道：**“孙儿！你为什么迟到？”**

然后，他审视着我说：“你不会是那个吊在热气球下的傻瓜吧？白白浪费那么多时间？”

我正准备向他坦白关于**宝藏**和**热气球**的荒诞故事，不过，不等我开口，赖皮便用**胳膊肘顶**了一下我的腰，又**踢**了一下我的小腿！

赖皮抱怨道：“都是杰罗尼摩的错，他突然晕车，准确地说，是晕摩托车！我不得不**慢慢**地开，每两分钟停一次！你们知道杰罗

尼摩是什么样子吗？他总是**抱怨**，抱怨这，抱怨那的。”

我正要揭穿他的谎言。但柏蒂走到我身边，关切地问：“**唉，真可怜，你现在感觉怎么样？**”

那一刻，我再也没有勇气说任何话……嗯，柏蒂是我的甜心，我很开心，她总是对我那么**好**！

而且，朋友们的注意力也已经不在我这里了。他们看见了巍威·野性鼠，一致**邀请**他和我们一起继续旅行！

本杰明和潘朵拉问他要签名，请他去他们的学校做关于**考古**的知识讲座，还问他怎样才能成为**空手道**高手。

总之，在那一片**混乱**之中，我根本没有时间解释事情的原委。但是我再次暗下决心，有机会一定要解释清楚！

马克斯爷爷打断了七嘴八舌的喧闹，尖声说："好啦好啦，别再闲聊了，该吃饭了！都怪杰罗尼摩，你们才最后到，所以这顿饭由他请客！"

较量武功

很显然，那顿午饭又花了我一**大笔钱**！

我们来到一家高级餐厅，大家全都点了菜单上最贵的菜肴，而且是**双份**，反正是我请客！

就在我们等着上菜的间隙，艾拿和巍威·野性鼠却四目对视，嘴角浮出挑衅的微笑。然后，两位好友就这样微笑着，一言不发地卷起袖子，将手肘抵在桌子上，开始较量扳手腕。

“让我看看你有多大能耐，老友！”

“好啊，老友，我们有多年没有较量了。”

他俩实力相当，比赛以**平局**收场。

于是，巍威·野性鼠还是面带挑衅的微笑，开始展示自己右臂上的**伤疤**。“你看见这个了吗？这是两年前留下的，那时我正在一座神秘的玛雅金字塔探险，一扇如**尖牙**般恐怖的活动暗门突然弹出来！”

艾拿卷起左裤腿，很自豪地展示起他小腿上的一个**伤疤**。“你看这里！一头饥肠辘辘的**豹子**想拿我当早餐！”

本杰明小声对我说：“快点，叔叔，你也说点什么！”

我是一只**安分**鼠，家和办公室是我的全部，我的每一天都是钉坐在办公室的写字台前度过的。我只好结结巴巴地说："嗯，我下巴上的这个伤疤是因为磕在写字台的**桌角**上①，我尾巴上这个伤疤是因为被计程车的车门**夹到**②，还有这个，右膝盖上的，是因为踩到香蕉皮**滑倒**了③，还有右手食指上这个，是因为被冰箱门夹到了④！"

可惜我的这些伤疤和我讲述的经历不能打动任何鼠。

只有柏蒂，她对我总是那么好。她充满怜爱地喃喃说：“你个可怜虫，总是那么粗心！”

菲补充道：“哎呀，我哥哥是磕磕碰碰世界冠军！”

听她那么一说，大家哄堂大笑。而我，尴尬得满脸通红。

听到这里，艾拿用一只手举起一张摆满餐具的**桌子**，同时他用眼瞄了瞄周围，想看看菲和柏蒂的表情，但是她俩正**无所事事**地坐着。

菲和柏蒂小声嘀咕着：“真希望快一点上**牛排**，否则这两个家伙还会没完没了地比下

去……"

紧接着，巍威·野性鼠为了显示自己比艾拿强，又举起了一个巨大的**冰箱**。

这时，艾拿抓住我，展示了一连串**眼花缭乱**的空手道动作，他把我当成一袋马铃薯按在地板上一阵猛打。

巍威·野性鼠不甘示弱，他以迅雷不及掩耳之势，使用点穴法，让对手（这个对手永远是我）**不能动弹**。我倒在地上，连一块肌肉也无法动弹，直到他又点了我某个秘密的**穴位**，我才恢复了活动能力。

于是，同为空手道高手的菲小声告诉柏蒂："你知道吗？巍威·野性鼠会空手道的**点穴功**呢！全世界只有为数不多的几位大师会这个古老的武功。"

艾拿举起一张摆满餐具的桌子。

巍威·野性鼠搬起一个冰箱。

艾拿展示了一连串空手道动作。

巍威·野性鼠用一个空手道的秘密点穴法让我不能动弹。

那两位好友本来还要继续较量武功，好在这时，服务员端来了我们点的牛排和其他菜肴！

艾拿和巍威·野性鼠互相拍了拍肩膀，然后握着手，说：

“你还是那么**厉害**，老友！”

“你的身体状况也还是那么**好**，老友！”

大家终于都回到餐桌旁坐下，恢复到一个“正常”团队的样子，开始计划起接下来的行程。赖皮提议去参观宝石洞窟，大家一致赞同，那是一个非常著名的山洞！

我正要告诉大家关于神秘宝藏的事，但是赖皮在我耳边嘘了一声，踢了一下我的脚踝，接着又拍了一下我的后脑勺，害得我整个脸都扑进土豆泥中！

于是，这一回，我又什么也没说成。可是我再次暗下决心，要尽快将我们去黑山寻找神秘宝藏的事情告诉大家。

我相信，大家齐心协力更容易找到宝藏。不过最主要的原因是，我认为应该和大家一起分享宝藏！

我把脸清理干净后，就去收银台付账。但是，我怎么也找不到我的顶鼠超级金卡……谁知道掉在哪里了！可能是不小心丢在机场了吧。唉！

宝石洞窟

我回到停车场时，马克斯爷爷已经在超大旅行车的驾驶位上等得**不耐烦**了。

“孙儿！快点，你总是最后一个！”

我羞得两耳**通红**，赶紧来到赖皮开的摩托车边。

我在我的专座上舒服地坐下（似乎很舒服，其实我的膝盖就快顶到嘴里了），巍威·野性鼠坐在车后座，接着“嗖”的一声，我们出发了。

我正在**欣赏**沿路上的风景，突然，赖皮一个急刹车：一群**美洲野牛**正在穿越马路！

一群美洲野牛正在穿越马路！

我从座位上翻下来 1 ，只差一厘米就撞到一头巨型野牛的角上。野牛**恶狠狠**地瞪着我，从鼻孔中呼出湿热的气息 2 。

我本想爬走，但是它用头顶了一下我的屁股，猛地把我顶到了一个土**堆**里 3 ！

然而，那不是一个普通的土堆，而是**草原狗**的洞穴。它们不喜欢我的不请自来，咬住了我的鼻子……**好痛** 4 ！

我揉着鼻子，回到座位上坐下，赖皮又在我耳旁**嘘**了一声，说：

“表哥，你难道很希望自己被认出来吗？”

菲则坏笑道：“杰罗尼摩，低调一点好不好！”

我尖叫道：“不是我的错！我不过是想度过一个**休闲假期**罢了！”

1
轰隆！
救命！
2
嘣！
哎呀！
3
嘭！
哎哟！哎哟！
4
啧！
好痛啊！

直到几个小时以后，野牛才让开了道路，我们重新踏上旅程，抵达宝石洞窟。

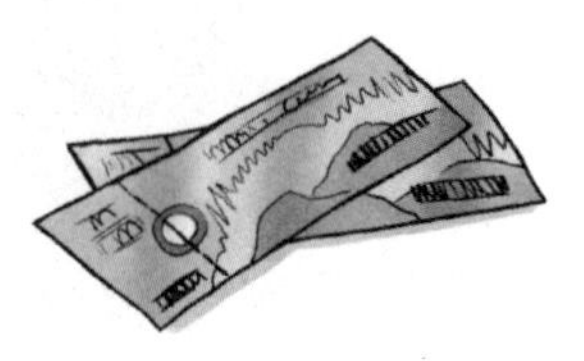

你们猜猜是谁给大家买的门票？自然是**我**！

赖皮强迫我选择最贵最长的一条观光路线：无尽游。

售票员**震惊**地看着我。

“您真的真的真的确定要买无尽游的门票吗？既然能叫这个名字，总是有它的道理的，您知道吗？”

我感到双膝因为害怕而**发软**，正想退票，但是赖皮抓住票说：“谢谢，这种票是最好不过的了！”

我们穿上**防水衣**，戴上洞穴学家*的专业**头盔**，跟着导游进入洞穴。

** 洞穴学家：地下洞穴的研究者和探险者。*

我们跟着导游进入洞穴。

导游带着我们穿过神秘悠长的洞穴，洞穴墙壁上布满了像珠宝一样闪闪发亮的矿物质和雕塑一般的石灰岩结晶体。好壮观啊！

突然，我们的导游毫不犹疑地拐进一条小通道，里面又黑又窄，而且非常非常的**泥泞**！

艾拿兴奋地欢呼："大家加油，精彩部分即将呈现！"

巍威·野性鼠把眼睛眯成一条缝，捋着一根胡子说："你准备好探险了吗，杰罗尼摩？"

"他当然准备好了！"赖皮抢着帮我回答，然后用力把我推进黑暗的地洞里。我感到下面空空如也，我一边喊叫，一边沿着陡峭至极的地洞往下滑落。这地洞真是异常湿滑！

最后，我跌落到若干米以下的一个水坑里，坑里的水冰冷而清彻！在我前额探照灯的照射下，我注意到那个水坑是心形的，这让我想起了什么……

突然，我想到最后一条线索的文字：珠宝非穿戴，莫如留地心。

于是，我把头埋进冰冷的水中，我看见心形水坑底部有一行文字，是用像珠宝一样闪闪发亮的石英小石子拼成的。文字内容是：黑山之巅，可寻一物。以此一物，开启他物。

我浮出水面，不断地重复这个信息，以便铭记于心。我竟然找到了线索，这或许可以让我们找到著名的黑山宝藏。

可是有一个问题：我迷路了！

我心慌意乱地尖叫：

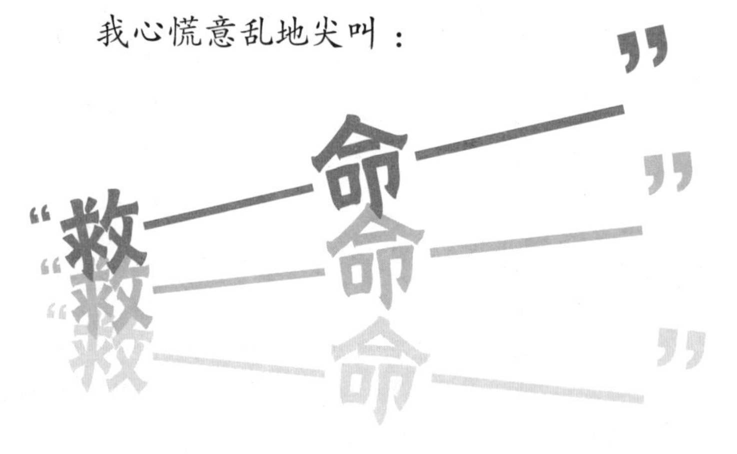

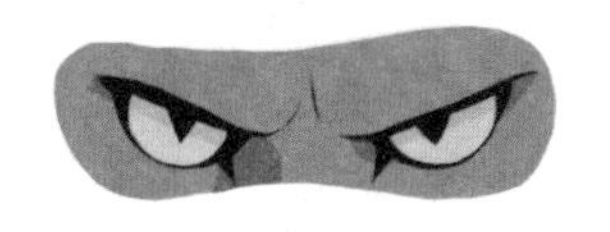

小心豹子！

很快，一个熟悉的声音在我耳旁回响："放心吧，杰罗尼摩，我们会像淤泥中滑溜溜的蚯蚓一样迅速离开这里的！"

是艾拿，他过来把我从那**黑暗的地洞**中带了出去！

我出去的时候，从头到脚浑身是泥，真的活脱脱像一条蚯蚓！

我用微弱的声音嘟囔道："**线索**……**宝藏**……**黑山**……"

然后，我晕了过去。他们把我抬上超大旅行

车，放在床上，为我盖好被子，被子一直拉到鼻子下。我的脚上还放着一个**热水**袋，嘴里塞有体温计。

我患上了重感冒！

在我周围，我看到一张不耐烦的脸（赖皮）和七张担忧的脸（所有其他鼠）。

在一个接一个喷嚏的间隙，我向大家坦白了赖皮的神秘地图和黑山寻宝事件的原委。最后，我背诵出在心形水坑底部看到的内容：“**阿嚏**……黑山之巅，可寻一物。以此一物，开启他物。”

巍威·野性鼠说：“黑山的最高峰是哈尼峰，高达 2207 米！”

艾拿补充道：“好，那我们明天黎明时分**爬**上去！”

本杰明和潘朵拉欢呼道：“好哇，寻宝去啦！”

赖皮嘟哝着说：“唉，**我的**宝藏啊！”

我微笑着说：“**我们的**宝藏……我们一起寻找宝藏，一起找到宝藏，一起分享宝藏！这才是真正的朋友所为！”

☆ 哈尼峰 ☆
哈尼峰是美国南达科他州的最高峰，也是美国落基山脉东端的最高点（2207 米）。山顶有一个小小的瞭望塔。该山是拉科塔人的圣地。著名的印第安人首领黑麋鹿于 1872 年在此有过一次重大的神灵显现。

临睡前，巍威·野性鼠和艾拿把我们叫来，叮嘱我们一些重要的事情。

艾拿首先说："你们还记得想拿我当早餐、咬我小腿的那只豹子的故事吗？就是在这一带发生的！"

巍威·野性鼠接着说："因此，明天早上，你们不可以单独行动，必须一起行动！万一遇到豹子，就停下来，看着它的眼睛，否则，一旦让它嗅出你的胆怯，它便会袭击你。"

艾拿补充道："不要跑，不要弯腰！否则它会把你们当猎物抓住的！你们要表现得更加强大，摇动胳膊，扔石子或者树枝！"

那双可怕的黄眼睛……

那天夜里，我睡得很不安稳，一直受到有饿豹出现的噩梦的折磨。

第二天黎明时分，还不等我们开始攀登哈尼峰，我就已经吓得不行了！

我的脸色苍白如一块莫泽雷勒奶酪，喃喃地说："你们去吧，我就在这里，哪儿也不去！我太怕豹子了……"

赖皮摩拳擦掌道："好，可以少一只鼠分宝藏！"

菲鼓励我说："加油，哪怕就一次，让我看到你不是胆小鬼的样子！"

马克斯爷爷吼道："孙儿，一只真正的斯

蒂顿家族的鼠是决不会退缩的！”

巍威·野性鼠用他**磁铁**般的眼睛注视着我，捋着他左边的一根胡子，惊叫道："你之前说过你已经**准备好**探险了的！”

我补充道："我是说过，可是，豹子是无法预期的！”

他坚持道："一言既出，驷马难追！**探险**已经开始了！”

本杰明和潘朵拉牵着我的手，“加油，啫喱叔叔，只要我们团结一心，就不会发生意外！再说，你想想黑山的**宝藏**吧！”

柏蒂则走到我身边，用她那充满魅力的蓝眼睛注视着我，说："加油，啫喱，拿出点**勇气**来！”

到了这个地步，我只好跟随他们，一起

走上陡峭的山间小路，在散发着树脂香味的杨树和松树林中穿行。我越走越慢，和其他鼠之间的距离**越来越远**。

突然，他们走出了我的视线范围。

只有潘朵拉还留在身边陪伴我，可是她一点都不觉得累！

我再也坚持不住，停下了脚步，我真的走不动了！

潘朵拉开始追逐色彩斑斓的**蝴蝶**，而我在背包的口袋里翻找**能量棒**，比如一块奶酪……反正只要是能够给我注入**力量**的任何东西！

我真的累极了！

过了几分钟，我欢欣雀跃地翻出一块葛更佐拉奶酪夹心**巧克力**。我转过身，想给潘朵拉一块，可是……

潘朵拉
不见了！

我听见喊声："救——命——"

我开始拼命地找她，她应该还没有走太远。

不过一会儿，我看见她了。

她滑倒了，衣服勾在一棵大树的树枝上，悬在深不见底的深渊的半空中！

大树的另外一头，一头豹子正目不转睛地看着她！

那只可怕的"大猫"在舔胡子，好像已经尝到了猎物的味道。刻不容缓啊！我想起朋友们的建议，立即抓起一根树枝。

我果断地沿着悬空的树干爬过去，但是没过一会儿，我就开始头晕……

我正慢慢失去**平衡**。为了不掉下去，我需要找个正前方的东西盯着看，而我找到了——豹子那双可怕的黄**眸子**！

我慢慢地前进，借助树枝保持平衡。但是突然，我脚爪一滑，开始摇晃起来，我像个疯子一样开始舞动树枝，我感觉自己就快掉下去了。我尖叫道：

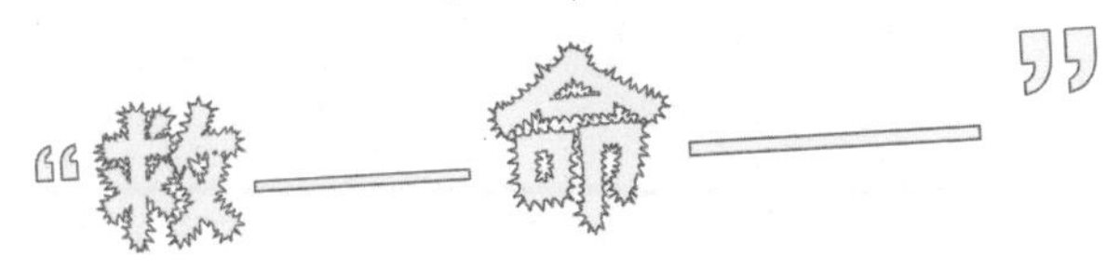

然后，我失去平衡，坠入谷底。

我看到的最后一幕是豹子摆着尾巴逃跑了。很显然，是我吓跑了它！

嗷！

我沿着悬空的树干爬过去。

黑山宝藏

当我再度睁开眼睛，首先映入我眼帘的是柏蒂·活力鼠那像山间湖泊一样蓝盈盈的眼睛。

我看了看周围，很欣慰地看到潘朵拉安然无恙！

巍威·野性鼠在我肩膀上拍了一下。

“很好，斯蒂顿，你还记得在面对豹子时应该怎么办。”

艾拿尖声叫道：“杰罗尼摩，你表现好的时候，总能让我十分满意！”

柏蒂轻轻吻了一下我的胡子尖，小声嘀咕着：“你是真正的英雄，杰罗尼摩！”

赖皮尖叫道："表哥，现在别再晕倒了，起来吧，我们寻宝去，要赶在其他鼠捷足先登之前！"

"但是，我们要重新爬上哈尼峰顶，那需要好长**时间**呢！"

"已经完成了，表哥！在你晕过去的这段时间里，我们几个已经爬上了哈尼峰顶。在那里，我们找到了这把**钥匙**，可谁知道是开启什么用的呢？"

然后，他得意扬扬地拿出一把古老的钥匙和一张写有信息的神秘羊皮纸。

本杰明兴奋地跳了起来："好哇，原来真有宝藏呢！"

潘多拉好奇地问道："可是**熊塔**会在哪里呢？"

我心生一计。

我翻阅旅游指南，找到了我们要找的地方！

"熊塔就是魔鬼塔，那是一块外形像塔的险峻岩石，位于美国怀俄明州的东北部！它的古老拉科他名称就是熊塔。"

赖皮尖叫道："快点，弟兄们，宝藏在等着我们！"

我们以破纪录的速度前往魔鬼塔。但是，当我们抵达塔脚下的停车场时，却惊讶地看到一个难以置信的庞大**鼠群**，还有一支由小号和长号组成的乐队！

☆ 魔鬼塔 ☆

有 206 米高的险峻岩石，高出海平面 1534 米，位于美国怀俄明州东北部平原。整座塔由赭黄色岩石构成，其颜色会随着天气和观察方位的不同而变幻。

我一头雾水地嘀咕起来："可……可是，这么多鼠在这里做什么呢？"

在一个插满旗子的舞台上，有一只鼠对着**扩音器**尖声说道："今年的寻宝取得了巨大成功，有不止一千名老鼠报名，报名费将用于黑山**自然**环境的保护！现在，有请本次黑山慈善寻宝的获胜者！"

我们全都惊呆了，在鼠群**热烈**的掌声中，我们被推上了舞台。

拿着扩音器的老鼠又尖声说道："现在，大家期待已久的时刻到了……颁发宝藏！"

然后，他让我们把找到的钥匙交给他。他把**钥匙**插进一个木质珠宝盒的锁眼里，打开木盒……

盒子里，有一些金币！

赖皮拿起所有的金币抛在空中，尖叫道：

“我发达啦！”

突然，一片沉寂，周围所有的鼠都目瞪口呆地看着我们。

主办方的负责鼠说：“发达？这可不是真正的宝藏啊！”

赖皮尖叫道：“什么什么什么？啊！原来这些是巧克力做成的金币啊！”

主办方微笑着说：“是啊，只是象征性的奖品。因为真正的宝藏是大自然！正因为此，我们才策划了这个精彩的活动，就是为了筹集经费保护这一地区的自然环境。”

他把一张广告单拿到我们眼前。

那正是赖皮在码头找到的“地图”，不过这一张包含下面残缺的那一部分！

我们还没有从震惊中回过神来，巍威·野

欲获宝藏，
老父之眼。
求宝心切，
莫忘眼镜！

追踪线索，坚持到底，
你会让这个世界更加美丽！

规　则：

这一寻宝活动旨在募集经费，保护黑山的自然环境。

最先到达终点的一队将获得奖品，

奖品为真正的“金币”——纯巧克力制成！

所有募集到的报名费都将用于环境保护，因为……

大自然是最珍贵的宝藏！

性鼠却对我挤了挤眼睛，说："我早就知道了，其实是我给我们大家付了报名费，我想送大家一次美妙的**探险**经历！"

赖皮尖叫道："可是，我想要的是**真正**的宝藏啊！"

我赶紧接过话："我的表弟赖皮在开玩笑呢！我们都很**高兴**参加了这次精彩的探险之旅！"

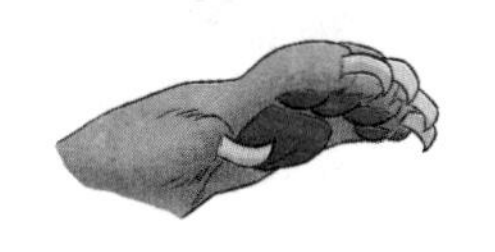

我把豹子送给你！

旅行到这个份上，我们也该回妙鼠城了！在飞机上，我一直在想，这个假期虽然算不上休闲，但无疑是……

我一生中最美妙的假期之一！

赖皮坐在我旁边，自我安慰地吃着巧克力金币。我转过身对他说：“谢谢你，我度过了如此美妙的几天，这都是你的功劳！”

他嘟哝着说：“先别谢我，表哥，还有东西你没有看见呢！我有一个惊喜给你！”

整个航行过程中，我一直忐忑不安

地问自己："谁知道我的表弟又给我准备了什么惊喜呢？"

当我们踏上妙鼠城，赖皮又开始拿着手机和飞机上的邮购产品目录忙起来。直到我站在了家门口，才明白惊喜到底是什么……

赖皮尖叫道：

"你喜欢这个惊喜吗，表哥？

这些小玩意都是我邮购的，是在飞机上的产品目录里找到的！自然全都是花你的钱。我都是用这张卡付的款！"

他拿着我的顶鼠超级金卡在我面前挥舞……是我原以为丢了的那张卡！

然后，他展开一条长长的清单，开始念道：

三个配有跳板
的充气游泳池
?
一个猫形
烤面包机
一个拉什
莫尔山的
复制品
一套仿银
迷你茶具
你喜欢这个
惊喜吗?
啊!
一个家具齐
备的玩具屋

1 个猫形烤面包机，面包烤好时会发出猫叫声！

1 张靠背椅，可用于背部按摩，并配有专门放置尾巴的装置。

3 个充气游泳池，配有跳板。

1 个家具齐全的玩具屋，还配有一套仿银的迷你茶具！

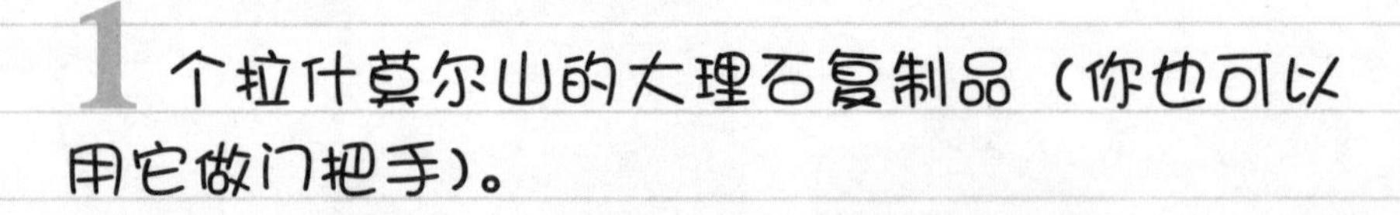

1 个拉什莫尔山的大理石复制品（你也可以用它做门把手）。

12 把刻有美国总统肖像的银质茶匙。

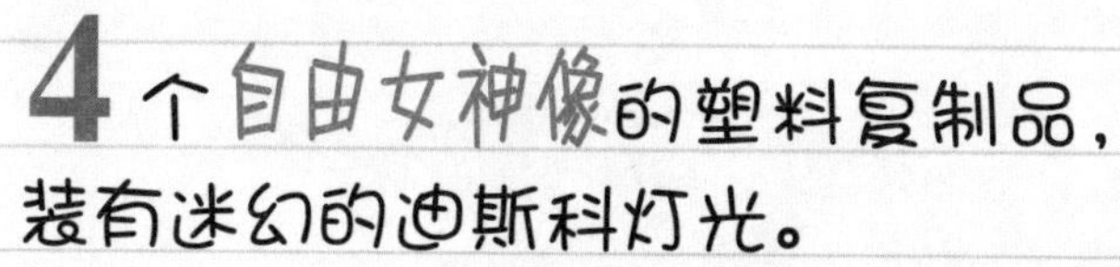

4 个自由女神像的塑料复制品，装有迷幻的迪斯科灯光。

5 只穿越耳膜式警报器（可当作闹钟，非常实用，我知道要叫醒你非常困难）。

1 枚八克拉的钻石求婚戒指（现在你还用不上，因为你没有女朋友，但是早晚你会用得上的）！

6 件跳弗朗明哥舞穿的衬衫，带花边蝴蝶结（早晚你得学跳舞）！

1 头豹子

我害怕地尖叫：“呃……一头豹子？”

啊，在堆成山的礼物中，的确有一头豹子，它就好像要袭击我的样子！

于是，**我晕了过去**。

当我再次醒来，我看见一只豹子的脸，它龇着长牙，满脸浓密的**胡须**，睁着一双如琥珀般金黄的大眼睛！我差点又晕了过去，赖皮却尖叫道：“你喜欢这个惊喜吗？

你还是一如既往的胆小！豹子是假的！”

我颤颤巍巍地伸出手爪，摸了摸豹子。原来只是一个巨大的**长毛绒玩具！！！**

于是，我抱起豹子，开始追逐赖皮。

“要是让我抓住你，我就把豹子送给你！”

但是赖皮早已跑得不见踪影。

就这样，这个发生在黑山（我最喜欢的地方之一）的故事就结束了！那美妙的大自然将长留在我心中。

下次故事再见，那又会是一个精彩的探险之旅。斯蒂顿，*杰罗尼摩·斯蒂顿*向你保证！

妙鼠城
妙鼠河
海滩
①
②
③
④
⑤
⑥
⑦
⑧
⑨
⑩
⑪
⑫
⑬
⑭
⑮
⑯
⑰
⑱
⑲
⑳
㉑
㉒
㉓
㉔
㉕
㉖
㉗
㉘
㉙
㉚
㉛
㉜
㉝
㉞
㉟
㊱
㊲
㊳
㊴
㊵
㊶
㊷
㊸

妙鼠城

1. 工业区
2. 奶酪工厂
3. 机场
4. 广播电视塔
5. 奶酪市场
6. 鱼市场
7. 市政厅
8. 古堡
9. 妙鼠岬
10. 中央火车站
11. 商业中心
12. 影院
13. 健身中心
14. 音乐厅
15. 唱歌石广场
16. 剧场
17. 大酒店
18. 医院
19. 植物园
20. 跛脚跳蚤杂货店（赖皮的商店）
21. 停车场
22. 现代艺术博物馆
23. 大学和图书馆
24. 《老鼠日报》大楼
25. 《鼠民公报》大楼
26. 赖皮的家
27. 时装区
28. 餐馆
29. 环境保护中心
30. 海事处
31. 圆形竞技场
32. 高尔夫球场
33. 游泳池
34. 网球场
35. 游乐场
36. 杰罗尼摩的家
37. 古玩市场
38. 书店
39. 船坞
40. 菲的家
41. 避风港
42. 灯塔
43. 自由鼠像

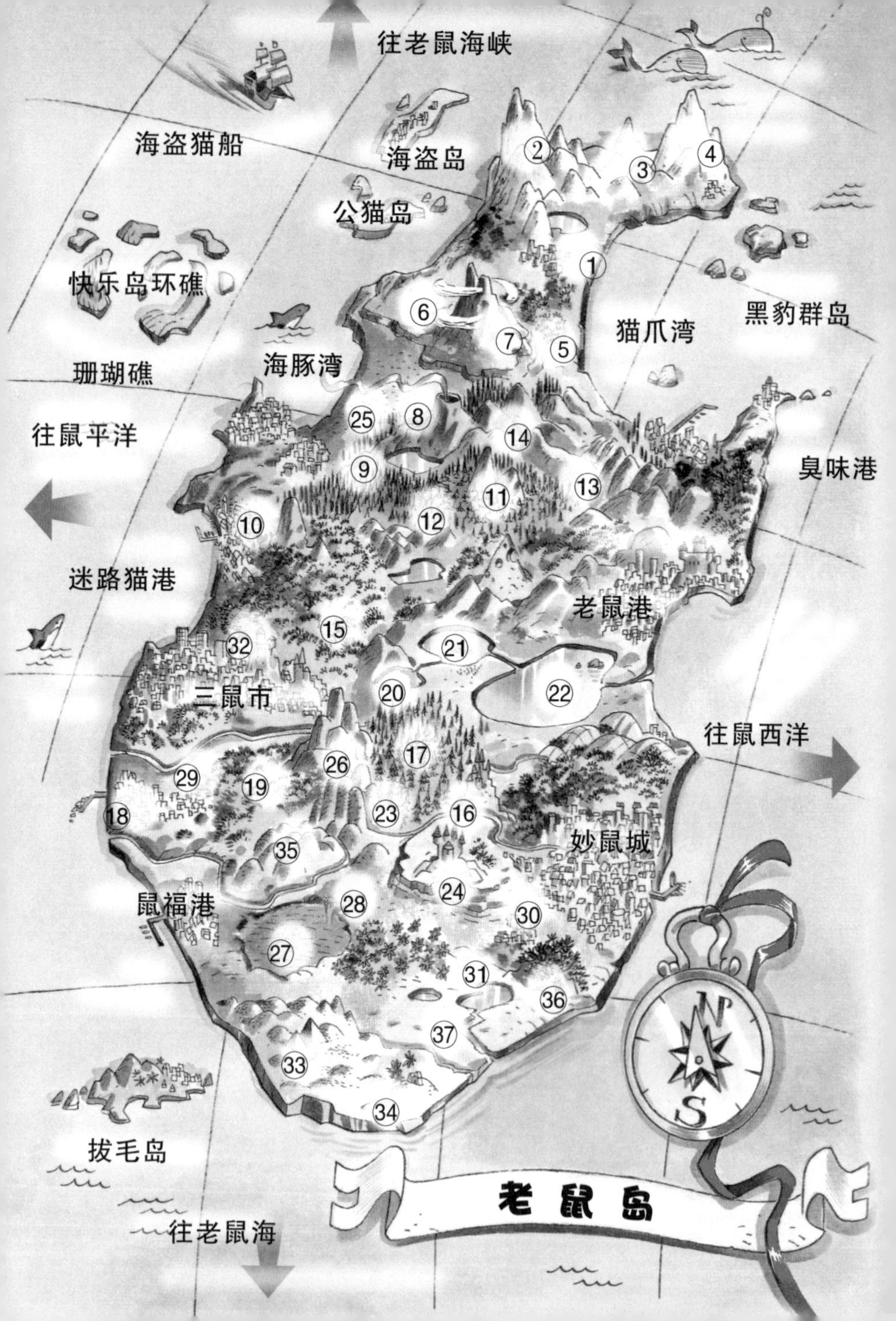
往老鼠海峡
海盗猫船
海盗岛
公猫岛
快乐岛环礁
黑豹群岛
猫爪湾
海豚湾
珊瑚礁
往鼠平洋
臭味港
迷路猫港
老鼠港
三鼠市
往鼠西洋
妙鼠城
鼠福港
拔毛岛
老鼠岛
往老鼠海
1
2
3
4
5
6
7
8
9
10
11
12
13
14
15
16
17
18
19
20
21
22
23
24
25
26
27
28
29
30
31
32
33
34
35
36
37
N
S

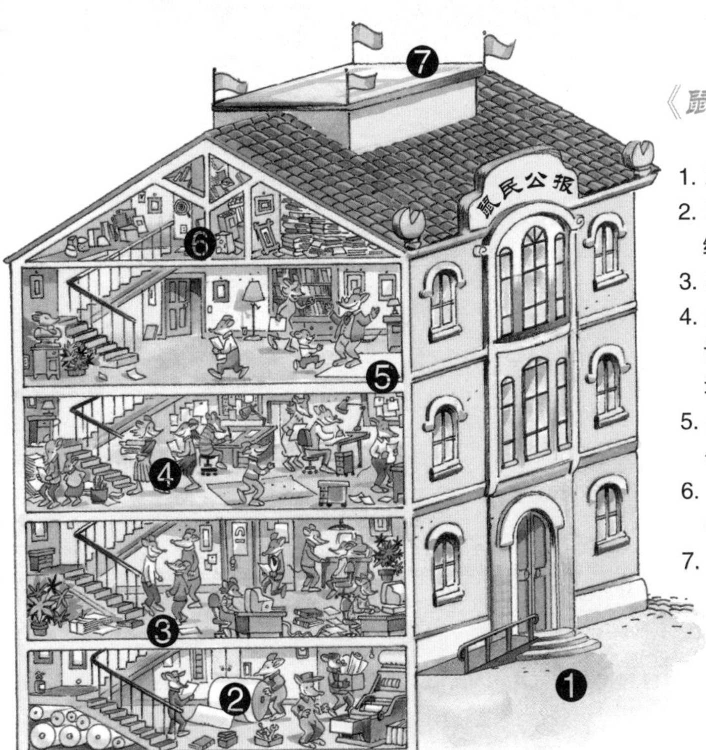

《鼠民公报》大楼

1. 正门
2. 印刷部(印刷图书和报纸的地方)
3. 财务部
4. 编辑部(编辑、美术设计和绘图人员工作的地方)
5. 杰罗尼摩·斯蒂顿的办公室
6. 杰罗尼摩·斯蒂顿的藏书室
7. 直升飞机停机坪

老鼠岛

1. 大冰湖
2. 毛结冰山
3. 滑溜溜冰川
4. 鼠皮疙瘩山
5. 鼠基斯坦
6. 鼠坦尼亚
7. 吸血鬼山
8. 铁板鼠火山
9. 硫磺湖
10. 猫止步关
11. 醉酒峰
12. 黑森林
13. 吸血鬼谷
14. 发冷山
15. 黑影关
16. 吝啬鼠城堡
17. 自然保护公园
18. 拉斯鼠维加斯海岸
19. 化石森林
20. 小鼠湖
21. 中鼠湖
22. 大鼠湖
23. 切达干酪崖
24. 肯尼猫城堡
25. 巨杉山谷
26. 梵提娜奶酪泉
27. 硫磺沼泽
28. 间歇泉
29. 田鼠谷
30. 疯鼠谷
31. 蚊子沼泽
32. 蒙斯特高地
33. 鼠哈拉沙漠
34. 喘气骆驼绿洲
35. 笨蛋山
36. 热带丛林
37. 蚊子谷

1. 杰罗尼摩的欢乐假期

杰罗尼摩的旅行计划多次泡汤，最后只能和毕粉红及整队童鼠军挤在破烂鼠酒店里玩《小题大作！》特刊介绍的游戏。

2. 真要命的旅行

杰罗尼摩被骗参加了旅行团到波多猫各旅行，由此开始一场倒霉透顶的旅程，简直就是一场噩梦！

3. 古堡鬼鼠

杰罗尼摩半夜接到赖皮打来的紧急电话，他决定和菲、本杰明立即前往阴森恐怖的鼠托夫古堡实施“营救计划”。他们会有什么惊人发现呢？

4. 神勇鼠智胜海盗猫

在寻找“漂移银岛”的探险之旅中，杰罗尼摩、菲、赖皮和本杰明被海盗猫们擒获。即将沦为盘中美味的他们，能死里逃生并最终战胜海盗猫吗？

5. 蒙娜丽鼠密码

《蒙娜丽鼠》名画背后竟然隐藏着另一幅画！画中更藏着妙鼠城的一个大秘密！杰罗尼摩他们能否按照画中提示把谜底揭开呢？

6. 鼠胆神威

杰罗尼摩被迫参加“鼠胆神威”求生训练课程，厉害的导师要他和其他四只老鼠在热带从林里接受各种非鼠的挑战，君子鼠杰罗尼摩能否承受呢？

7. 两面双鼠

杰罗尼摩被冒充了！那只鼠大胆到把《鼠民公报》也卖掉了。本杰明想出了锦囊妙计，让赖皮男扮女装去对付幕后主谋。

8. 吝啬鼠城堡

吝啬鼠城堡的堡主守财鼠，邀请了一大堆亲戚来到城堡参加他的儿子荷包鼠的婚礼！堡主待客之道就是“节俭”！

9. 绿宝石眼之谜

杰罗尼摩的妹妹菲得到了一张标有“绿宝石眼”埋藏位置的藏宝图。杰罗尼摩、菲、赖皮和本杰明驾着“幸运女神”号出发寻宝了……

10. 黑暗鼠家族的秘密

杰罗尼摩被邀去拜访骷髅头城堡里的黑暗鼠家族，在那里遇上一连串灵异事件。最终，他竟然发现这个家族最隐蔽的秘密就是……

11. 奶酪金字塔的魔咒

奶酪金字塔内为何会发出恶心的气味？埃及文化专家飞沫鼠教授在金字塔内晕倒了，难道传说中的魔咒应验了？杰罗尼摩能否解开其中之谜呢？

12. 喜马拉雅山雪怪

杰罗尼摩接到发明家伏特教授的求救电话后，立即与菲、赖皮和本杰明一起赶往喜马拉雅山营救……

13. 地铁幽灵

妙鼠城的地铁站被幽灵猫袭击，全城万分惊恐！地铁隧道内有猫爪印、浓缩猫尿……这一切真能说明有幽灵猫存在吗？

14. 我为鼠狂

杰罗尼摩为了梦中情鼠，拜访神秘的女术士、踏上他最害怕的探险之旅，还发现了世界第八大奇迹……

15. 恐怖万圣节

万圣节前夕，杰罗尼摩被迫赶做一本关于万圣节的书。为搜集写作素材，胆小的他吃尽了苦头。万圣节晚会他过得怎样？最终这本书又销得如何呢？

16. 老鼠也疯狂

杰罗尼摩不小心聘请了毕粉红当助理后，疯狂的事情接连发生，连一向喜欢传统品位的他，竟在衣着上也大变身呢！为什么他会有如此大的改变？难道他疯了吗？

17. 雪地狂野之旅

杰罗尼摩被迫到气温零下 40 摄氏度的鼠基斯坦去旅行！他要与语言不通的当地鼠沟通，还要坐当地鼠驾驶的疯狂雪橇……

18. 失落的红宝石

杰罗尼摩深入亚马孙丛林寻找神秘的红宝石，他竟发现有几个破坏森林的偷伐者也在寻找那颗宝石。新的较量开始了……

19. 夺宝奇鼠

沉没的“金皮号”大帆船里藏有 13 颗大钻石，杰罗尼摩一家要出海寻宝啦！最后，丽萍姑妈竟然找到了一件意想不到的宝物，那会是什么呢？

20. 猛鬼猫城堡

肯尼猫贵族的城堡内竟然出现老鼠骷髅骨、断爪猫鬼魂、木乃伊、女巫和吸血鬼……只是这些“东西”只有杰罗尼摩能看见，这是为何呢？难道这个城堡真的有猛鬼存在吗？

21. 海盗岛探宝

杰罗尼摩一家前往海盗群岛度假，无意中发现了藏宝图，一番历险后，他们发现财富的所有者竟然有斯蒂顿家族的血统！

22. 尼亚加拉瀑布之旅

杰罗尼摩为救落水鼠，在尼亚加拉大瀑布中勇斗激流。不谙水性的他能成功救鼠吗？那场浪漫的玫瑰色婚礼又是怎么回事呢？

23. 无名木乃伊

一具无名木乃伊在妙鼠城埃及博物馆游荡，吓走了所有的参观鼠……杰罗尼摩能解开无名木乃伊之谜吗？

24. 环保鼠勇闯澳洲

一向讨厌旅行的杰罗尼摩被一对风风火火的双胞胎兄妹架着坐上飞机，来到了古老而又陌生的澳大利亚。这一次，他们会有怎样的冒险经历呢？

25. 足球鼠疯狂冠军杯

冠军杯总决赛将在妙鼠城举行，可怜的杰罗尼摩要被迫代替失踪的足球队长上场比赛。从未踢过足球的他该怎么办呢？

26. 特工鼠 OOK

杰罗尼摩在寻找一个丢失的信封，事关《鼠民公报》大楼的利益。寻找过程中，每到危急关头总有鼠出手相助。究竟是谁在暗中帮助他？

27. 玩转疯鼠马拉松

杰罗尼摩要参加四万米马拉松赛，沿途遭遇沙暴、地震、洪水、火灾……杰罗尼摩如何应对这些突如其来的局面，比赛结果又将如何？

28. 寻找失落的斯蒂顿

为了解开身世之谜，斯蒂顿家族远赴英国探根寻底。不料，途中频频遭遇奶酪窃贼……机智勇敢的杰罗尼摩能找回被盗的奶酪吗？

29. 牛仔鼠勇闯西部

杰罗尼摩和家鼠来到西部探险，在目睹了仙人掌城居民遭受的压迫后，他毅然决定肩负起拯救该城的使命。这一次，他会成功吗？

30. 大漠寻宝记

在蒙古国的戈壁沙漠里埋藏着一个神秘的宝藏，杰罗尼摩一家要去寻宝啦！不料，途中却遭遇了一连串灾难……他们能如愿找到宝藏吗？

31. 沙漠壮鼠训练营

突如其来的“绑架”把杰罗尼摩赶上了“100 千米撒哈拉”的赛事中。短短四天半的训练，能把细皮嫩肉的杰罗尼摩变成一只壮鼠吗？

32. 寻画大追踪

妙鼠城最著名的古画《提拉米苏的胜利》失窃了！为了帮助史奎克找回古画，杰罗尼摩浪漫约会泡汤，并且为此吃尽了苦头。

33. 阴险鼠幽灵计划

杰罗尼摩和史奎克对妙鼠城大酒店的幽灵事件展开调查，他们发现一只名叫 B.B.的商鼠非常可疑。B.B.和幽灵之间又有什么关系呢？

34. 湖水消失之谜

当杰罗尼摩试图把一个印第安捕梦网挂在家中时，竟意外摔倒昏迷，一场与大自然和谐共处的印第安冒险之旅由此展开……

35. 奥运金牌鼠

来自老鼠拉多维亚的选手包揽了奥运会上所有单项赛事的金牌，却并不参加任何团体比赛，这背后究竟隐藏着什么惊天秘密呢？

36. “音乐海盗”大追踪

为了破解盗版谜案，杰罗尼摩和史奎克深入港口调查，谁知竟被抓上了恐怖的“黑猫十世”旅行车。他们能否顺利逃脱呢？

37. 非凡圣诞节

杰罗尼摩本想和家鼠一起去滑雪，谁知却被撞得全身骨折！难道，倒霉的他就只能独自在医院度过一个悲惨的圣诞节吗？

38. 小丑鼠的阴谋

一封古怪的来信，邀请妙鼠城全体鼠民参加神秘公园的万圣节派对，可是大家竟然被锁在了公园里。等待老鼠们的将会是什么呢？

39. 智取疯鼠谷

妙鼠城出现假冒奶酪，鼠民们纷纷出现食物中毒症状，所有的奶酪工厂面临倒闭。杰罗尼摩、史奎克和超级十鼠对此展开调查。

40. 拯救大白鲸

杰罗尼摩、柏蒂、本杰明、潘朵拉一起到鲸鱼湾度假，发现一头罕见的大白鲸搁浅在深夜的海滩上，要怎样做才能帮助它重归大海呢？

41. 葬礼疑云

因为一个葬礼，杰罗尼摩重返吝啬鼠城堡。在这个疑云重重的葬礼背后隐藏着什么大秘密呢？

42. 疯鼠大挑战

杰罗尼摩被迫去参加疯鼠大挑战，他是如何在误打误撞之下走捷径而赢得冠军，成为社会名鼠的呢？

43. 成就非凡鼠家族

受邀参加本杰明学校的“职业日”活动，自信爆棚的杰罗尼摩会是丑态百出，还是载誉而归呢？

44. 特工鼠智胜魅影鼠

杰罗尼摩被迫与马克斯爷爷组队参加高尔夫球比赛，他能和特工鼠 00K 联手保住超级鼠奖杯吗？

45. 怪味火山的秘密

一场暴雪使妙鼠城陷入困境。为了挽救整个老鼠岛，杰罗尼摩和私家侦探史奎克踏上探秘怪味火山之旅。

46. 超鼠诞生记

从撒哈拉沙漠到北极，从热带雨林到岩洞，不能填饱肚子，无法安稳睡觉，生命安全得不到保障。超鼠改造计划就是这么残酷！

47. 巧取空手道

杰罗尼摩走上了世界空手道锦标赛赛场。是什么力量让弱不禁风的文化鼠产生勇气的呢？空手道的魅力到底在哪，让我们一探究竟吧！

48. 六合鼠彩票

风靡妙鼠城的彩票游戏——六合鼠，这次的奖金高达十亿元！杰罗尼摩偶然拾得一张彩票，会令他赢得巨奖吗？

49. 圣诞大变身

圣诞节到了，可是杰罗尼摩却累得趴在办公桌上睡着了。圣诞老人为何会委托杰罗尼摩负责玩具工厂的事务，并把玩具送给孩子们呢？

50. 蓝色迷城

杰罗尼摩和史奎克坐上潜艇向世界最深的马里亚纳海沟前进，追踪巨型乌贼。在一个巨大水泡里，蓝色城市的独裁者早已布下罗网！

51. 探秘非洲雪山

冒险鼠艾拿要求杰罗尼摩攀登乞力马扎罗山。一路上历经艰险，最终他能登上非洲屋脊的顶峰，领略那雄伟的自然奇景吗？

52. 纽约奇遇

杰罗尼摩要去纽约过圣诞节，可在机场错拿了他人的行李，这下可糟糕了！杰罗尼摩为了找回行李，开启了一场纽约奇异之旅。

53. 预言鼠的手稿

一份神秘手稿竟能预知未来的一切？鼠兰克福书展上，正当杰罗尼摩·斯蒂顿满以为成功夺得出版权时，神秘手稿却不见了！是谁把手稿偷走了？

54. 狂鼠报业大战

一夜之间，《咆哮老鼠》席卷妙鼠城。为了拯救濒临破产的《鼠民公报》，杰罗尼摩频频使出绝招，甚至决定参加惨绝鼠寰的恐怖测试！

55. 绅士鼠养成记

赖皮根本不懂什么是良好的礼仪。这个野蛮鼠在领奖当日，竟然把女伯爵的城堡弄得天翻地覆，陷于一片火海。他最后会怎样收拾残局？

56. 黑山寻宝

杰罗尼摩的假期在赖皮的黑山宝藏探险中化为乌有！在巍威·野性鼠的提示下，杰罗尼摩破解了一个个谜团，最终找到了传说中的黑山宝藏……

57. 寻爱大冒险

杰罗尼摩在家庭成员的策划下，被迫去南海度假。邮轮上，杰罗尼摩受到切达琳·甜蜜鼠的热烈追求。他会接受她的爱意吗？而她又会是他的知音吗？

58. 水晶贡多拉的奥秘

杰罗尼摩在梦中女鼠柏蒂送给他的水晶贡多拉里面发现一张神秘的求助字条，他立刻行动起来，去水城威尼斯探寻水晶贡多拉的奥秘……

59. 天生派对狂

为了庆祝情人节，杰罗尼摩打算筹办一场盛大的晚会。可是，厄运却不断降临。一只精明能干的女牛仔鼠从天而降，亲自导演了一场与众不同的情人节晚会……

60. 太空秘密行动

深夜，杰罗尼摩是在夹心饼干中发现一张纸条，上面是特工 00K 的留言：请 00G 做好准备。一场惊险刺激的绝密行动开始了……

61. 猫岛秘密来信

不可思议，杰罗尼摩要参加摔角比赛了，并且是在猫岛举行的摔角比赛！好在，他仅仅是作为比赛的奖品，而不是参赛者。不过，这听上去更令鼠恐怖！

62. 文化鼠减肥计划

杰罗尼摩被活力鼠邀请去澳洲玩，他决定在去之前实行减肥计划，艾拿充当他的私人教练。杰罗尼摩的减肥计划能否成功呢？

63. 匪鼠猫怪

妙鼠城的几家银行发生了抢劫案！就在警方都束手无策时，杰罗尼摩和朋友们发现了匪鼠们的秘密……几个月之后，妙鼠城又发生了一件棘手的案件……

64. 超级吝啬鼠

杰罗尼摩收到一封信，守财鼠表舅在信中说自己即将离开鼠世，恳请杰罗尼摩带上支票前往他的城堡。到达城堡后，等待杰罗尼摩的会是什么呢？

65. 探险鼠独闯巴西

杰罗尼摩和巍威·野性鼠以及他的表妹玛雅一同搭机去巴西。然而就在下飞机的那一刻，他俩消失了，留下可怜的杰罗尼摩独自在巴西闯荡……

《老鼠记者》俱乐部的联系方式

邮购电话：0791-86512056

E-mail:www.shumih60@sina.com

http://www.21cccc.com

请读者朋友密切关注《老鼠记者》新书出版时间

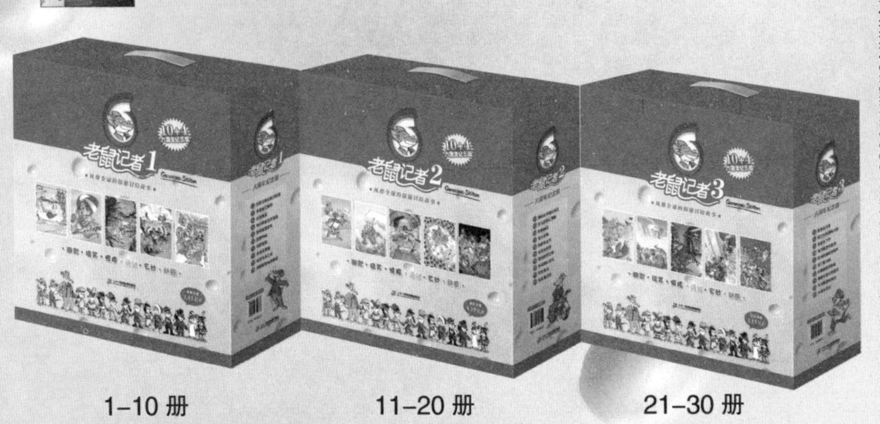

1-10 册　　11-20 册　　21-30 册

31-40 册　　41-50 册　　51-60 册

老鼠记者六周年纪念版礼盒

每盒包括 10 册图书，限量版公仔 1 只，老鼠记者动画光盘 1 张，《巅峰任务大挑战》游戏手册 1 本，全套卡牌 72 张。

亲爱的鼠迷朋友，

下次再见！

杰罗尼摩·斯蒂顿

Geronimo Stilton